8.99

FRA
JP
HUT

À table avec les monstres

N'oublie pas les bonnes manières

Hazel Hutchins
Illustrations de Sampar

Texte français de
Isabelle Allard

Éditions
SCHOLASTIC

Si un monstre t'invite à manger chez lui, surveille tes manières et sois poli!

Place bien ta
serviette sur
tes genoux,

SINON elle
pourrait te
serrer le cou!

Pas de coudes sur la
table et tiens-toi droit,

OU tu risques de ne
plus bouger les bras.

Passe toujours les plats
à ton voisin,

SINON une tortue te
pincera la main.

Sers-toi de ta fourchette et de ton couteau,

OU ils pourraient faire les idiots.

Quand tu manges,
garde la bouche fermée,

SINON les mouches
vont s'y engouffrer!

Ne nourris pas les
animaux, voyons!

CAR ils mettraient
le feu à la maison.

Ne fais pas de rot et ne sois pas grossier,

CAR tu vas attirer le voisin d'à côté.

Quand tout le monde a fini de manger, n'oublie pas de dire :
« Merci pour ce repas formidable. Est-ce que je peux sortir de table? »